C'est moi qui lis

Mia, le petit chat de la plage

Une histoire de vacances

racontée par Wolfram Hänel
illustrée par Kirsten Höcker
et traduite par Michelle Nikly

Éditions Nord-Sud

Loi n° 49-956 du 16 juillet 1949 sur les publications destinées à la jeunesse
Dépôt légal: 1er trimestre 1997
ISBN 3 314 21032 9

Léa passe ses vacances à la mer.
Bien sûr, elle n'est pas toute seule,
il y a aussi ses parents – et Félix,
son tigre en peluche. Léa ne peut pas
tellement jouer avec Félix, au bord
de la mer. Il est tout le temps couvert
de sable! Elle ne peut pas non plus
l'emmener dans l'eau avec elle. Ça
l'abîmerait, et il serait plein de bosses.

Léa ne peut pas non plus compter
sur ses parents pour jouer avec elle.
La maman de Léa passe ses journées
étendue sur sa chaise longue
et son papa aussi. Ils ouvrent les yeux
seulement quand ils ont besoin
du flacon de crème à bronzer.

Les parents de Léa ne veulent pas
non plus se baigner. Maman a dit
que les vagues étaient BEAUCOUP trop
hautes. Papa a ajouté que l'eau était
BEAUCOUP trop froide.
Ensuite il a remis son chapeau
sur sa figure, et il s'est rendormi.

Au début, Léa ne s'est pas ennuyée.
Le premier jour, elle s'est construit
un château de sable. Et puis encore
un autre. Et autour du château, elle a
creusé des douves qu'elle a reliées
à la mer.
C'était un gros travail!

Ensuite, Léa a ramassé des coquillages,
des moules et des huîtres, et aussi
des bigorneaux. Ses préférés, ce sont
les bigorneaux. Quand on les met
contre son oreille, c'est comme
si on entendait tous les océans du monde
rugir ensemble!

Bien sûr, Léa a aussi ramassé
des cailloux. Des cailloux plats,
des ronds et même des troués.
Et elle a trouvé quantité de choses
déposées par la mer: des plumes
de mouettes, des pinces de crabes,
un bout de caisse chinoise, une vieille
corde et un filet de pêche tout déchiré.

Mais à quoi ça sert de ratisser
la plage, si on n'a personne
à qui montrer sa récolte? Léa
s'assoit tristement face à la mer,
et elle regarde les vagues.
La prochaine vague va-t-elle venir
se briser à ses pieds?
Près de Léa, il y a une mouette
bien dodue. Soudain, elle s'envole
en piaillant. Puis elle se laisse porter
par le vent, en protestant bruyamment.
C'est drôle, se demande Léa,
pourquoi est-elle si effrayée?

Tout à coup, Léa aperçoit, à quelques
mètres d'elle, un petit chat gris
et blanc qui joue avec les vagues!
Léa comprend maintenant pourquoi
la mouette s'est envolée!
Le petit chat s'avance bravement là
où les vagues se brisent. Et dès
qu'une vague arrive, il bondit
en arrière, vif comme l'éclair,
pour se mettre à l'abri sur la plage...

Puis une nouvelle vague arrive
en rugissant. Elle est aussi haute
qu'une maison et gronde comme
une locomotive. D'un bond agile,
le petit chat lui échappe et se retrouve
juste à côté de Léa.
Léa applaudit et s'écrie: «Bravo!
C'était bien réussi!»
Le chat cligne des yeux et fait
«Mia...». Pas «Miaou», seulement
«Mia».

Ça alors, pense Léa, ce n'est pas
banal, un chat qui joue
avec les vagues, et qui fait juste
«Mia»!
«J'ai une idée! s'écrie Léa. Je vais
t'appeler Mia.
C'est un joli nom, pour un chat. Léa
et Mia, ça va bien ensemble,
tu ne trouves pas?»
Le chat bâille, s'étire et se frotte
contre les jambes de Léa.
Puis il se précipite à nouveau au bord
de l'eau, et dès qu'une vague arrive,
il bondit aussitôt en arrière. Puis en
avant et en arrière et ainsi de suite
au gré des vagues.
De temps à autre il regarde du côté
de Léa en faisant «Mia...», et Léa finit
par comprendre: il veut qu'elle joue
avec lui!

Mais les parents de Léa replient
leurs chaises longues. Le papa de Léa
l'appelle: «Allez Léa, reviens,
nous en avons assez pour aujourd'hui!»
«Tu reviendras demain?» demande Léa
au petit chat. Ce dernier cligne
des yeux et fait «Mia!».
Et tandis que Léa escalade les dunes
derrière ses parents, le petit chat
la suit.

À peine le papa de Léa a-t-il ouvert la portière de la voiture, que Mia saute d'un bond sur le siège arrière.

«Au secours! Un chat!» s'écrie
la maman de Léa.
«Dehors, et tout de suite!» crie papa
d'une grosse voix.
Il attrape Mia par le cou et le sort
de la voiture.
«Mais c'est mon chat! dit Léa. On a
joué ensemble tout l'après-midi
avec les vagues. Et puis on s'entend
très bien. Il s'appelle Mia.
Il ne fait pas «Miaou», mais
seulement...» «Mia!» miaule Mia.
«Vous voyez», dit Léa, toute fière.
«Pas de chat dans ma voiture, un
point c'est tout!» dit le papa de Léa.
«On ne peut pas laisser Mia tout seul
sur la plage!» insiste Léa.
Mais son papa a déjà démarré,
et la voiture s'éloigne.
Mia reste bel et bien tout seul
dans les dunes.

Le lendemain matin, Léa avale
son petit déjeuner en un clin d'œil.
Enfin on part à la plage.
Et devinez qui se tient sur la grosse
dune? Qui cligne des yeux et fait
«Mia…»? C'est Mia, bien sûr.
Exactement comme s'il était resté là
tout le temps, à attendre Léa.

Léa court comme le vent, derrière Mia.
Par-dessus la grosse dune
et sur la plage, jusqu'à la mer.
Et là, ils reprennent leur jeu avec
les vagues. En avant, et en arrière.
Puis encore en avant, et en arrière.

Ensuite ils se couchent au soleil, blottis l'un contre l'autre.
Léa caresse Mia. Mia ferme les yeux et ronronne comme le vieux poêle de grand-mère.

Le soir, Mia les accompagne
à nouveau à la voiture.
Et le lendemain matin, à la même
heure, il s'installe sur la grosse dune
pour les attendre.

Aujourd'hui, Léa et Mia ont trouvé un nouveau jeu. Ils emmènent Félix, le tigre en peluche, au bord de l'eau et lui attachent une grande ficelle autour du cou.

Dès qu'une vague arrive, ils s'amusent à le tirer au sec au dernier moment. Mais voilà que tout à coup, Félix reste coincé derrière une pierre.

Une vague déferle sur Félix
et l'emporte la tête la première
vers la haute mer!
Léa et Mia regardent, impuissants.
De temps en temps ils distinguent
quelques rayures entre les vagues,
puis Félix disparaît complètement.
«Ce n'est pas grave, dit Léa
en grattant Mia derrière l'oreille.
Maintenant je t'ai toi. Quand on a
un vrai chat, on n'a plus besoin
d'un tigre en peluche. N'est-ce pas?»
Mia cligne des yeux et fait «Mia…»

Le lendemain, Mia est introuvable.
Il s'est sûrement caché quelque part, pense Léa. Elle cherche dans l'herbe, sur la dune, sous le vieux canot, dans les sanitaires. Aucune trace de Mia! Rien.

Pourvu qu'il ne lui soit rien arrivé! Léa repense à Félix, à la façon dont il a été emporté par les vagues en haute mer. Mia est encore si petit, il ne sait certainement pas nager!

Léa court en pleurant vers ses parents. «Allons, dit son papa, il ne lui est rien arrivé, à ton chat. Tu verras, demain il sera sûrement là.»

Mais le lendemain, Mia n'est toujours pas là. Léa s'assoit sur la grosse dune et se met à pleurer.
Puis elle commence à réfléchir calmement, comme un véritable détective. Si seulement je savais où Mia dort, pense Léa. Peut-être dans une vieille botte de pêcheur, ou sous une caisse à poisson retournée?
Une caisse à poisson, c'est ça! Du poisson! Les chats adorent le poisson. Et il y en a des tonnes, dans la mer. Et où va-t-on pour trouver des caisses pleines de poissons?

Tout excitée, Léa court vers ses parents en criant: «Papa! Papa! Je crois que je sais où est Mia! Il a sûrement eu faim, et il a dû aller vers le port!»
Le papa de Léa enfile son pantalon et sa chemise en rouspétant un peu, puis il retourne à la voiture avec Léa. Ils prennent la direction du port.

Arrivés au port, il n'y a aucun bateau de pêche en vue. Et pas trace de Mia. Il n'y a qu'un vieil homme assis, qui fume la pipe.

«Pardon Monsieur, demande Léa, n'auriez-vous pas vu un petit chat?» «Laissez-moi réfléchir», dit l'homme. Il souffle deux ronds de fumée vers le ciel. Puis il se gratte la tête et rejette sa casquette en arrière.

«Eh bien, dit-il enfin, j'en ai vu un, en effet. Ça devait être – attendez un peu – oui, ça devait être juste avant le départ des bateaux de pêche.» «Tu entends, Papa, s'écrie Léa, Mia est parti sur un bateau de pêche!»

«Et quand les bateaux de pêche rentrent-ils?» demande le papa de Léa. «Ils ne devraient pas tarder», répond l'homme en scrutant l'horizon.

Et en effet, loin à l'horizon, là où le ciel et la mer se rejoignent, on voit se profiler le premier bateau.

«Avez-vous mon chat à bord?» crie Léa, dès que le bateau accoste. «Non, dit le pêcheur, il n'y a pas de chat à bord. Nous avons des morues, des soles et quelques gros crabes, mais nous n'avons pas de chat!»

«Alors Mia est sûrement
dans le prochain bateau», dit Léa
en regardant à nouveau la mer
avec anxiété. Le papa de Léa est
aussi très impatient: il scrute l'horizon
et marche de long en large.

Enfin un autre bateau arrive.
Mais il n'y a pas trace de Mia non plus.
Et sur le bateau suivant, pas davantage.

Léa commence à se décourager.
«Allons, allons», dit son papa,
en lui caressant les cheveux.
Soudain il s'écrie: «Regarde, il y a
un autre bateau qui arrive!»
Et bientôt Léa s'exclame: «C'est lui!
Tu le vois? Tout à l'avant!»
Et en effet! Mia se tient en équilibre
sur l'étrave, et il cligne des yeux.

Mia prend son élan et d'un bond,
saute pour rejoindre Léa sur le quai.
Mais il n'a pas bien calculé
son élan et...

…plouf! Mia tombe dans l'eau trouble
du port. Il pataugе désespérément.
«Machines arrière, toutes!» hurle
le pêcheur. Le papa de Léa se saisit
d'une bouée et la jette à l'eau.
Ça marche! Mia s'y cramponne.
Le pêcheur va vite chercher une gaffe
et il repêche la bouée à laquelle
Mia est agrippé.

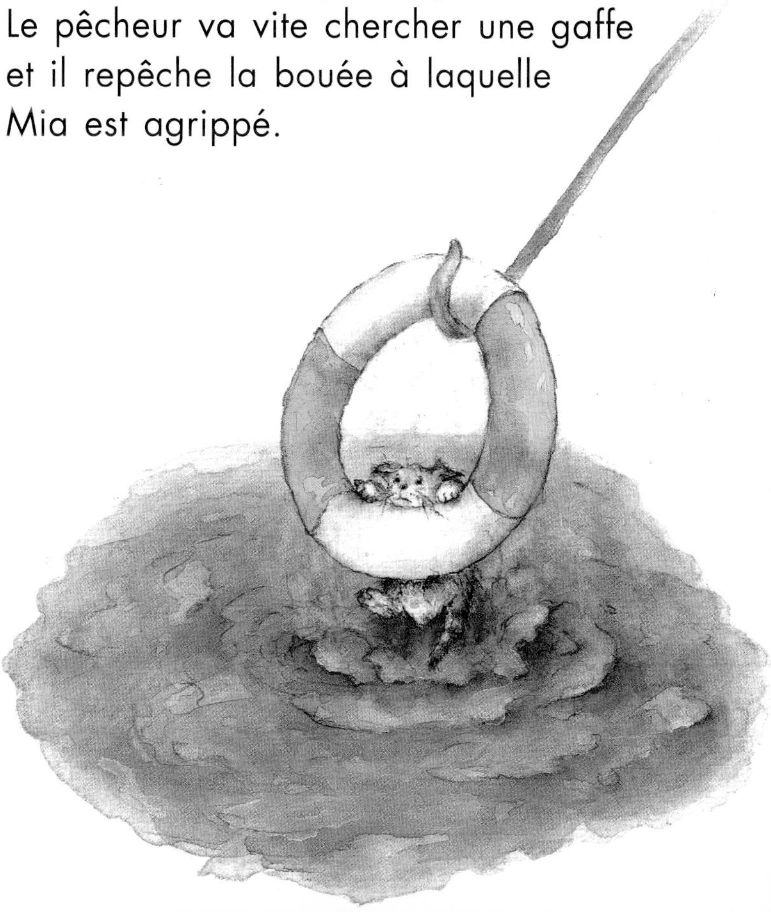

Le pêcheur saute sur le quai
et il dépose Mia tout dégoulinant
dans les bras de Léa.
«Là, dit-il en riant, voilà le passager
clandestin.
Ton chat a dévoré deux morues et
une sole. Il n'a laissé que les arêtes!»
Léa, tout heureuse, grimpe dans la
voiture. Avant d'attacher sa ceinture,
le papa de Léa se retourne pour
gratter Mia derrière l'oreille. Mia
ronronne et fait «Mia...».

Les jours suivants semblent passer comme l'éclair. Léa et Mia jouent sur la plage du matin au soir. Ce qu'ils préfèrent, c'est jouer avec les vagues: en avant, et en arrière, et encore en avant et en arrière. Le papa de Léa a même essayé, lui aussi. Mais comme il n'a pas couru assez vite, il s'est fait tremper dès la première vague.

Aujourd'hui c'est le dernier jour des vacances. Les parents de Léa chargent la voiture, pendant que Léa un peu à l'écart, caresse Mia. Elle cherche où elle pourrait cacher le petit chat sans que ses parents s'en aperçoivent. Ça y est, elle a une idée…

C'est la maman de Léa qui conduit.
Son papa étudie la carte.
Léa caresse en douce le museau
humide de Mia.

«Je me demande où peut bien être
ce chat?» dit soudain la maman de Léa.
«Alors là, je n'en sais rien», dit Léa.

Mais il va falloir doubler un camion,
et maman n'a plus le temps de penser
au chat.

Papa se retourne... Doucement,
il glisse la main dans le panier
tout en jetant un regard complice
à Léa. Mais quel est ce petit bruit
qu'on entend soudain? On dirait
un ronronnement...

À propos de l'illustratrice

Kirsten Höcker

est née près d'Osnabrück
en Allemagne. Elle a d'abord étudié l'histoire de l'art, avant de suivre les cours d'illustration de l'Institut Supérieur d'Art de Berlin. Depuis 1983, elle travaille comme illustratrice, réalise des histoires en images pour la télévision enfantine et pour la presse ainsi que des couvertures de livres. Kirsten Höcker habite et travaille à Berlin et aussi à Metz. Et comme elle a grandi dans une ferme, elle adore les histoires où il y a des animaux – et aussi des petites filles comme Léa.

À propos de l'auteur

Wolfram Hänel

est né en 1956 et vit depuis 1959 à Hanovre en Allemagne. Il a fait des études d'anglais et d'allemand et il a travaillé comme photographe de théâtre, graphiste, rédacteur, professeur-assistant et auteur dramatique. Depuis 1986 il écrit des pièces de théâtre et des livres pour enfants. Pour sa pièce sur la révolution française, il a obtenu un prix de dramaturgie. Wolfram Hänel aime les phares, les bateaux de pêche et les îles avec de longues plages et – cela va sans dire – sa femme et leur fille. Ses meilleurs amis habitent en Irlande. Et c'est là qu'il a été témoin de cette histoire.

Sont parus dans la collection «C'est moi qui lis»:

1 – Burny Bos / Hans de Beer
La famille Taupe-Tatin – Ce n'est pas de la tarte!

2 – Marianne Busser / Ron Schröder / Hans de Beer
Papa Vapeur et la camionnette rouge

3 – Wolfram Hänel / Christa Unzner
Romuald et Julienne

4 – Gerda Wagener / Uli Waas
Il faut sauver la souris!

5 – Krista Ruepp / Ulrike Heyne
Le cavalier de la nuit

6 – Ingrid Uebe / Alex de Wolf
Mélinda et la Sorcière des mers

7 – Burny Bos / Hans de Beer
La famille Taupe-Tatin – Tout va bien!

8 – Ursel Scheffler / Iskender Gider
Rinaldo fait les 400 coups

9 – Uli Waas
Lola a disparu

10 – Wolfram Hänel / Christa Unzner
Anna Nas, une nouvelle pas comme les autres

11 – Walter Kreye / Jean-Pierre Corderoc'h
Le paysan et les brigands

12 – Marianne Busser / Ron Schröder / Hans de Beer
Le roi Bedon

13 – Wolfram Hänel / Alex de Wolf
Benjamin s'est égaré

14 – Hermann Krekeler / Marlies Rieper-Bastian
Jacquobarjoville

15 – Wolfram Hänel / Alan Marks
Balade irlandaise

16 – Burny Bos / Hans de Beer
Famille Taupe-Tatin – Toujours plus haut!

17 – Gerda Marie Scheidl / Christa Unzner
Loretta et la petite Fée

18 – Wolfram Hänel / Jean-Pierre Corderoc'h
L'ours et le pêcheur

19 – Wolfram Hänel / Jean-Pierre Corderoc'h
La famille ours

20 – Ursel Scheffler / Iskender Gider
Rinaldo fait encore des siennes

21 – Jürgen Lassig / Uli Waas
À la recherche de Nino-Dino

22 – Wolfram Hänel / Kirsten Höcker
Mia, le petit chat de la plage

23 – Hermann Krekeler / Marlies Rieper Bastian
Colin-Maillard à Jacquobarjoville

24 – Wolfram Hänel / Alex de Wolf
Laura et le Dinosaure couleur d'arc-en-ciel